PARIS
500 PHOTOS

Paris, Apr 16th 2005

Chers Diane et Craig,

Your son doesn't like me, so I thought
you and I might become friends and
get rid of him.
As a first friendship present, let me
show you Paris in pictures. I have
absolutely no doubt that we'll be
walking around my city together
sometime - very soon.
Can't wait to meet you and all
the family - apart from You-know-who
of course. Pleeeaaaase cooooome!
Alleeeeeeez! Veneeeeeez!

A très bientôt j'espère.
Your (new) friend, Marie.

MAURICE SUBERVIE

PARIS
500 PHOTOS

Flammarion

Photographier Paris...
par Bertrand Delanoë

La Seine et les îles

Rive Droite

Les Passages

Rive Gauche

Les Jardins

Le décor majestueux de l'Hôtel de Ville, 4ᵉ arr.

Photographier Paris...

par Bertrand Delanoë

Depuis l'invention géniale de Nicéphore Niepce, combien ont éprouvé l'envie de saisir une couleur, un instant, un morceau d'azur ou un fragment de nuit, au hasard d'une promenade dans notre cité ?

Inépuisable par excellence, le sujet ouvre en grand les portes de l'imaginaire, de l'insolite ou du figuratif. Car représenter Paris, c'est aborder un champ sans limite, dans lequel l'esprit de création s'épanouit au fil des pas.

Un gamin qui dessine sur les gravillons du Luxembourg, la brume qui enveloppe les escaliers de la Butte Montmartre, des regards anonymes fascinés par les reflets de la Seine : autant d'images qui fixent un moment furtif et, les faisant passer « à la postérité », les transforment en signatures de cette ville universelle, aimée à travers le monde entier.

Photographier Paris, c'est aussi pour chacun, fabriquer des souvenirs, des empreintes qui demeurent à jamais et renvoient à des sensations, des sentiments auxquels on se raccroche quand le temps est trop froid ou le cœur un peu lourd.

Saurais-je dire quelles images me renvoie Paris, quels « clichés » m'apparaissent quand son nom est prononcé ? Exercice difficile en vérité, tant cette ville est riche d'une diversité aussi bien humaine qu'architecturale.

Le mouvement étonnant des modules de Niki de Saint-Phalle, les gargouilles de Notre Dame, les façades en céramique d'anciennes échoppes du Marais, l'harmonie des Buttes-Chaumont, le charme de la rue Lepic : la liste est sans fin mais pourrait aboutir à un Paris un peu stéréotypé, si l'on n'y ajoutait les habitants eux-mêmes, leurs visages, leurs gestes, leurs métiers, leur vie, qui livrent, infatigables, des trésors à saisir.

Paris la nuit, le dôme des Invalides
et l'arc de triomphe.

Maurice Subervie s'y emploie avec talent et avec cette acuité qui est aussi sa manière de dire qu'il aime Paris. Un Paris coloré, qu'inondent les rayons du soleil ou les lumières de la nuit citadine. Car le Paris de Subervie assume avec grâce la rencontre entre modernité et héritage historique, et invite chacun à une balade intime dont le fil rouge est cette magie esthétique qui caractérise chaque lieu, chaque situation. Le mouvement est présent : soit parce que le cliché fixe l'action et retranscrit avec force une ruche éblouissante, au sens strict du terme. Soit parce que telle un décor magnifique, la ville se réveille et se prépare à accueillir les acteurs du quotidien et le rythme qu'ils impriment.

C'est à ce voyage sensoriel que nous sommes conviés au fil des pages. Assurément, il faut répondre à l'invitation de cet artiste inspiré, les yeux fermés, si j'ose dire...

L'église Saint-Sulpice
au cœur de la rive gauche.

La Seine et les îles

Le quai de la Tournelle, Notre-Dame et l'île de la Cité, 4ᵉ arr.

double page précédente

Notre-Dame et l'île de la Cité
vus du pont de la Tournelle, 4ᵉ arr.

Le parvis de Notre-Dame, 4ᵉ arr.

Les ponts de la Seine, du Pont-au-Change au pont Royal.

Notre-Dame
vue du Pont-au-Double, 4e arr.

Une rosace et les toits de Notre-Dame
vus du quai d'Orléans, 4ᵉ arr.

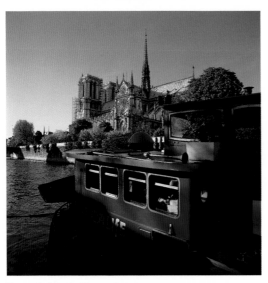

La cathédrale Notre-Dame
vue du quai de Montebello, 4ᵉ arr.

Notre-Dame et le parc Jean XXIII, sur le petit bras de la Seine, île de la Cité, 4ᵉ arr.

double page suivante

Bouquinistes du quai de Montebello,
devant Notre-Dame, 5ᵉ arr.

Le musée du Louvre vu du quai Malaquais, 6ᵉ arr.

Bouquiniste du quai Malaquais, 6ᵉ arr.

Les boîtes vertes des bouquinistes
sur les quais de Paris.

Le Pont-Neuf côté rive gauche et les façades du quai des Orfèvres, 1er arr.

double page précédente

Le Pont-Neuf et la Conciergerie, 1er arr.

Le plus ancien des ponts de Paris, le Pont-Neuf côté rive droite, 1er arr.

La flèche de la Sainte-Chapelle vue du Pont-Neuf, 1ᵉʳ arr.

Le Pont-Neuf et les façades du quai de l'Horloge dans l'île de la Cité, 1er arr.

Le Pont-Neuf et les maisons du quai des Orfèvres, vus du quai Conti, 1er arr.

Du Pont-Neuf partent les vedettes pour des visites de Paris vu de la Seine.

Une arche du Pont-Neuf.
Entre les réverbères se profile
la statue d'Henri IV, 1er arr.

Le quai d'Orléans, île Saint-Louis, 4ᵉ arr.

double page précédente

Pont d'Arcole, pont Notre-Dame, pont au Change,
Pont-Neuf, pont des Arts, pont du Carrousel.

Les maisons du quai des Orfèvres dans l'île de la Cité, 1er arr.

La Seine et les îles

Façades du quai d'Orléans, île Saint-Louis, 4ᵉ arr.

Le quai Saint-Michel, 5ᵉ arr.

La Seine au quai Saint-Michel, 5ᵉ arr.

Le quai de Montebello, 5ᵉ arr.

La Garde Républicaine
sur le quai de Montebello, 5ᵉ arr.

double page précédente

Au bout de l'île Saint-Louis, le quai de Bourbon
avec vue sur les immeubles du quai aux Fleurs,
rive gauche. 4ᵉ arr.

Canards sur un parapet,
quai aux Fleurs, 4ᵉ arr.

Le pont de Sully vu de l'Institut du monde arabe, 5ᵉ arr.

Le quai du Louvre, 1er arr.

Péniche devant le Louvre. La Pyramide pointe au-dessus des arbres. 1er arr.

Le pont Notre-Dame, l'Hôtel-Dieu, les clochers et la flèche de Notre-Dame, 4ᵉ arr.

La Seine devant le Grand-Palais et le Cours de la Reine, 8ᵉ arr.

Le pont des Arts et le musée d'Orsay, 7ᵉ arr.

Le saule pleureur du square Jean XXIII, île de la Cité, 1er arr.

double page précédente

Péniches au port de Passy, 16e arr.

Notre-Dame vue du quai d'Orléans dans l'île Saint-Louis, 4e arr.

La place Dauphine plantée de marronniers.
Derrière les arbres, se dessine le palais de justice. 1er arr.

Dans l'île de la Cité,
ces maisons de la place Dauphine donnent également
sur la Seine et le quai de l'Horloge, 1er arr.

La place Dauphine, une des adresses les plus recherchées de Paris, 1er arr.

Un petit hôtel très romantique sur la place Dauphine, île de la Cité, 1er arr.

De nombreux bistrots ouvrent sur la place Dauphine,
île de la Cité, 1er arr.

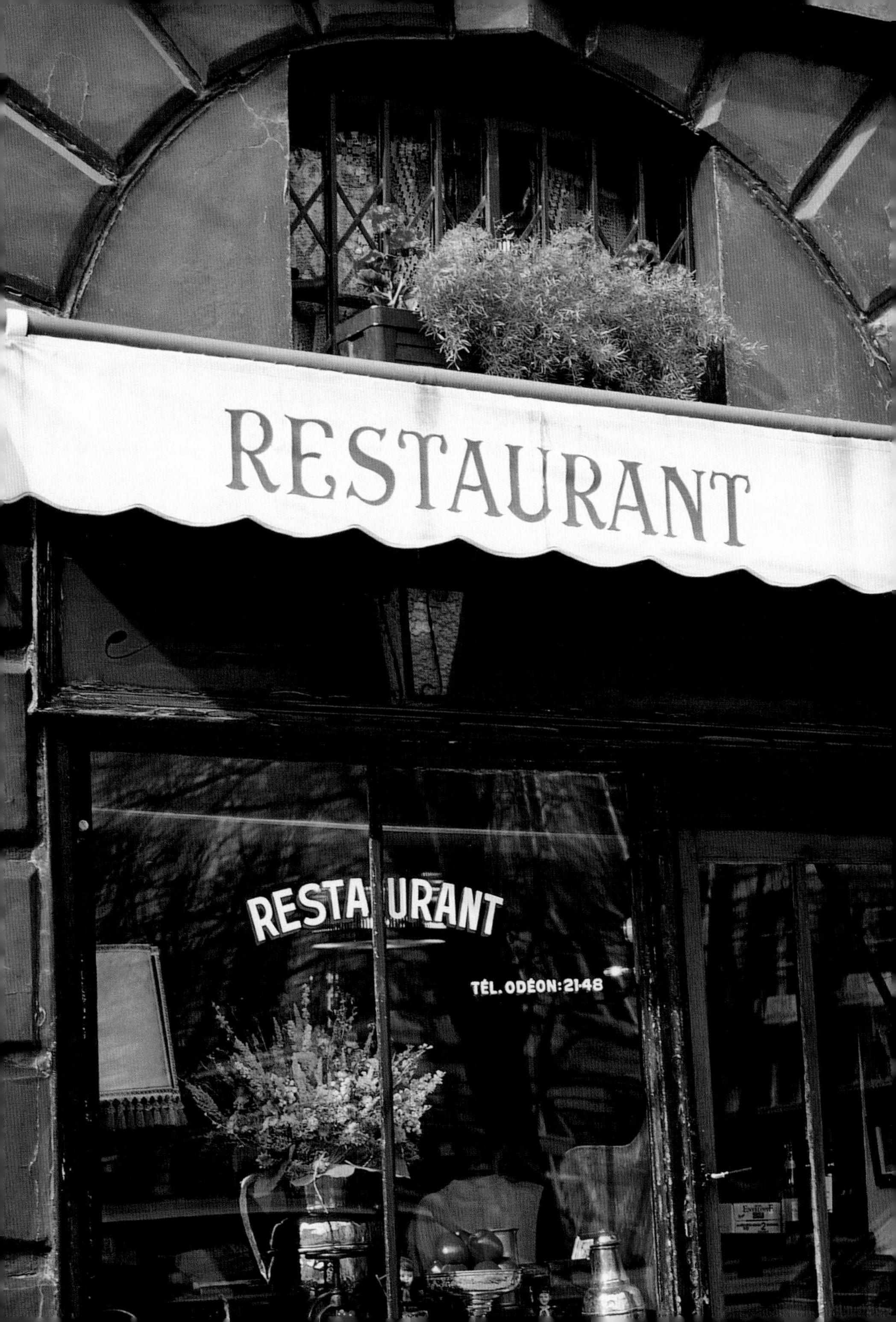
RESTAURANT
RESTAURANT
TÉL. ODÉON: 21-48

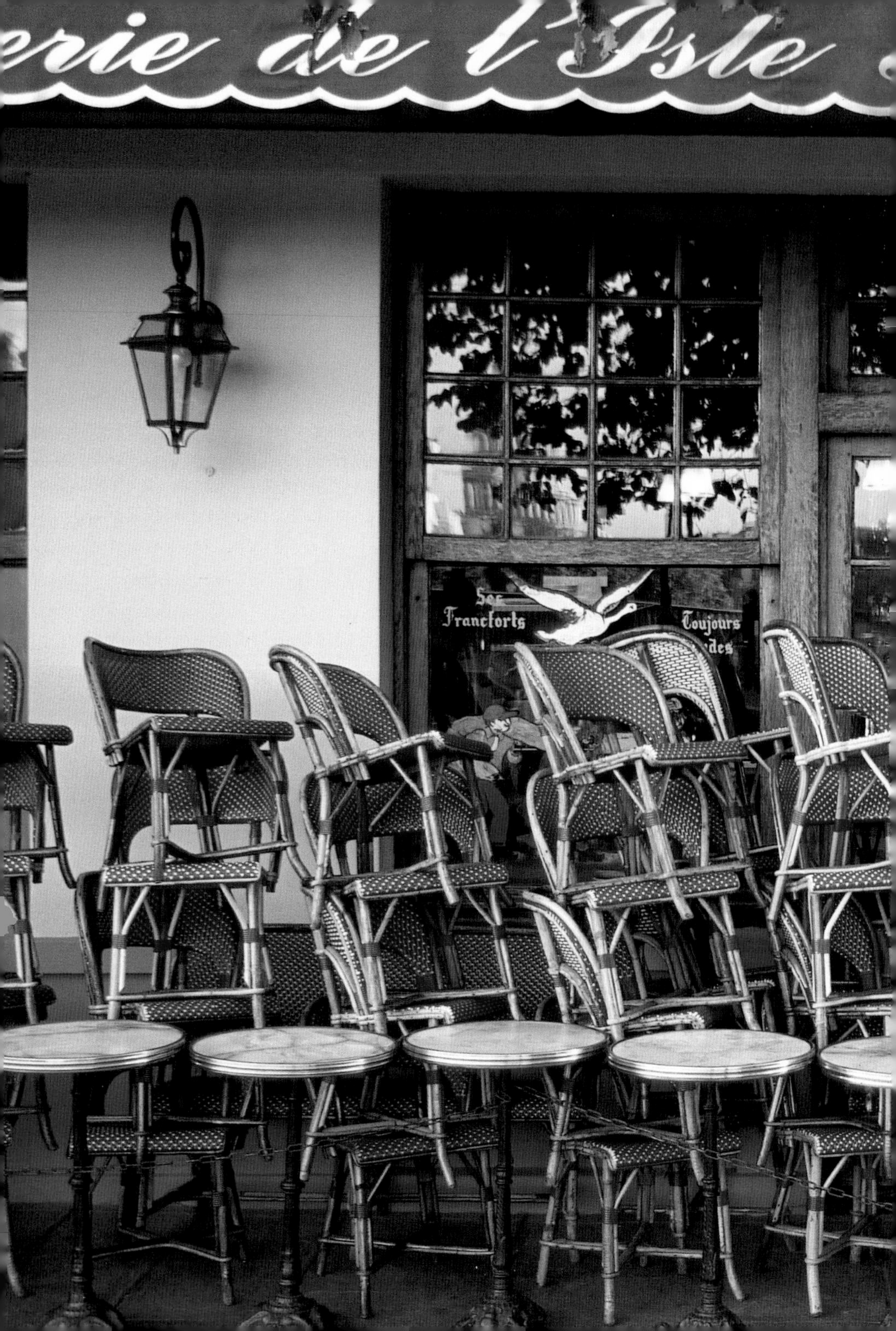
erie de l'Isle
Francforts
Toujours

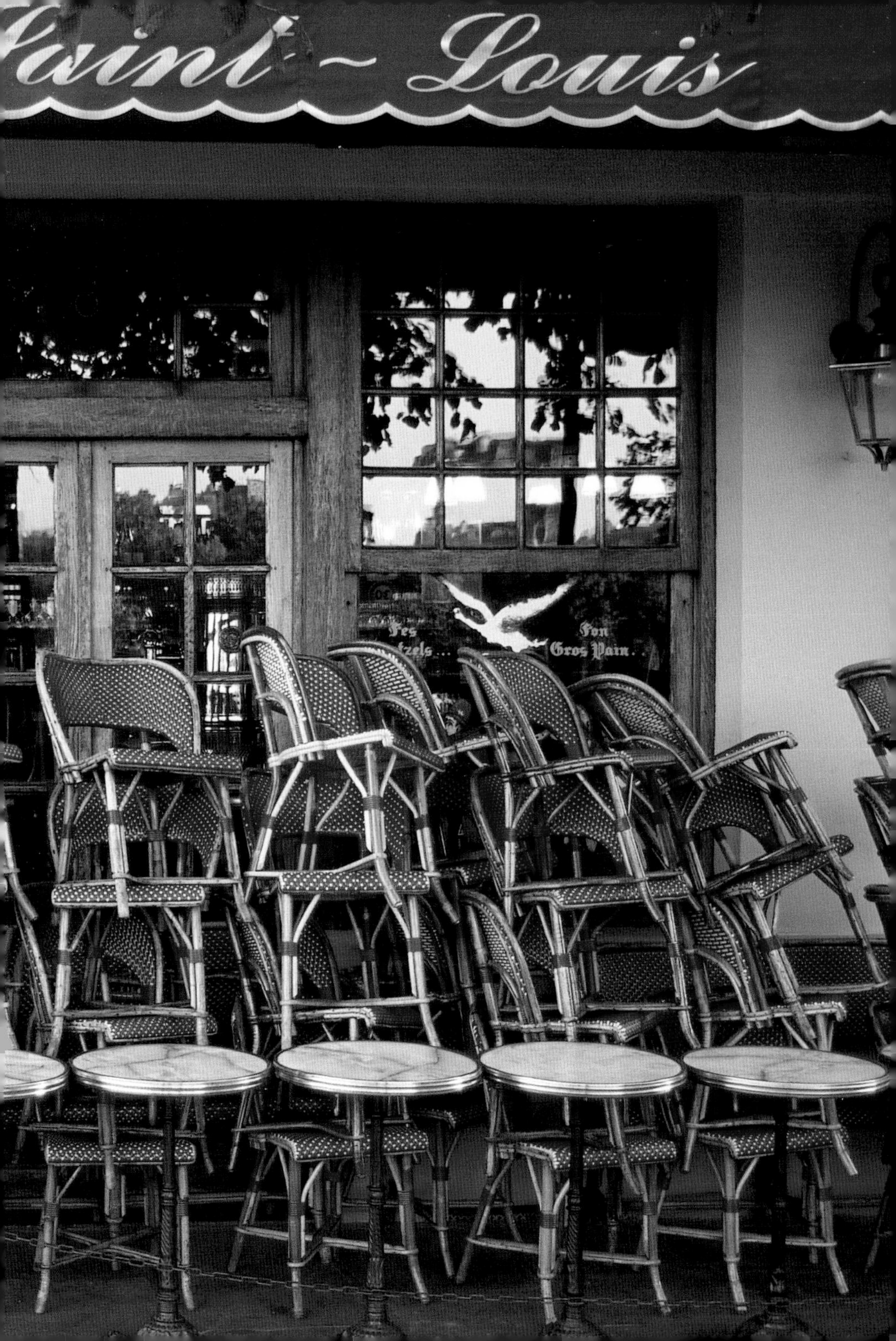
aint ~ Louis
Gros Pain.

Le marché aux fleurs dans l'île de la Cité, 4ᵉ arr.

La place Saint-Michel, 5ᵉ arr.

double page précédente

La brasserie de l'île Saint-Louis, 4ᵉ arr.

Bistrot de l'île Saint-Louis,
avec vue sur le Panthéon. 4ᵉ arr.

Le quai de Bourbon, île Saint-Louis, 4ᵉ arr.

Rollers, quai de la Mégisserie, 1er arr.

double page suivante

Transport sur la Seine
devant la Conciergerie, 1er arr.

Conciergerie, la salle des Gens d'Armes, 1er arr.

L'île de la Cité, la Conciergerie, Notre-Dame et la flèche de la Sainte-Chapelle, 1er arr.

Le quai aux Fleurs, la flèche et les clochers de Notre-Dame, île de la Cité, 4ᵉ arr.

L'île Saint-Louis, le quai d'Orléans et, au fond, l'Hôtel de Ville, 4ᵉ arr.

double page suivante

Le pont des Arts vu de la terrasse
sur les toits de la Samaritaine, 1ᵉʳ arr.

La pointe de l'île Saint-Louis et l'île de la Cité, 4ᵉ arr.

L'hôtel Lambert, quai d'Anjou,
sur l'île Saint-Louis, 4ᵉ arr.

Péniche au pont des Arts et les maisons du quai Malaquais, 1er arr.

Vue du quai de Conti : le Pont-Neuf et les immeubles du quai des Orfèvres, 1er arr.

double page suivante

L'île de la Cité,
le square du Vert-Galant et le Pont-Neuf, 1er arr.

Le pont des Arts depuis le square du Vert-Galant, 1er arr.

Une très belle vue de la rive gauche jusqu'à la tour Eiffel
depuis la terrasse de la Samaritaine, 1er arr.

double page suivante

Nef et vitraux de la Sainte-Chapelle, île de la Cité, 4e arr.

Les voûtes de la Sainte-Chapelle, 4ᵉ arr.

Anges sculptés, Sainte-Chapelle, 4ᵉ arr.

Nef de la chapelle haute
de la Sainte-Chapelle, 4ᵉ arr.

Le pont d'Arcole et l'île de la Cité. Au fond, la Conciergerie. 4ᵉ arr.

Les flèches de Notre-Dame et de la Sainte-Chapelle
dominent le panorama de l'île de la Cité, 1er arr.

double page suivante

Le pont des Arts et l'île de la Cité, 1er arr.

Le Louvre et l'église de Saint-Germain-l'Auxerrois vus depuis le quai Voltaire.
Au premier plan le pont des Arts, 1er arr.

Les piétons empruntent le pont des Arts entre le Louvre et l'Institut de France, 6ᵉ arr.

Le pont Royal, le pont du Carrousel, le dôme de l'Institut de France et l'île de la Cité.

La Seine au pont Royal, 6ᵉ arr.

Le pont de Sully et les maisons du quai de Béthune, 4ᵉ arr.

Le pont de la Tournelle, l'île Saint-Louis et l'île de la Cité, 4ᵉ arr.

double page suivante

Nymphe du pont Alexandre III, 7ᵉ arr.

Des groupes équestres en bronze doré ornent
les piliers du pont Alexandre-III, 7ᵉ et 8ᵉ arr.

Le pont Alexandre III
et le dôme des Invalides, 7ᵉ et 8ᵉ arr.

Imposants piliers de pierre à l'entrée du pont Alexandre III, 7ᵉ et 8ᵉ arr.

Le pont Alexandre III vers la rive droite
et le Grand Palais, 8ᵉ arr.

Le pont du métro et le quai de la Rapée, 12ᵉ arr.

Le pont de la Rapée et Notre-Dame
vus du quai de la Rapée, 12ᵉ arr.

double page précédente

La tour Eiffel
vue de la passerelle Debilly, 7ᵉ arr.

Péniche au Pont-au-Change, 4ᵉ arr.

Viaduc du métro au pont de Bir-Hakeim, 15e arr.

Le pont de Bir-Hakeim à deux étages mène à l'île des Cygnes, 15e arr.

Entre le quartier de Passy et le Champ-de-Mars,
le pont de Bir-Hakeim, 15e arr.

A la pointe de l'île des Cygnes, la statue de la Liberté, 15ᵉ arr.

Le quai de Grenelle
vu du pont Mirabeau, 15ᵉ arr.

Rive Droite

Le pont de la Concorde et le port des Champs-Elysées en
contrebas de la place de la Concorde, 8ᵉ arr.

double page précédente

Vue de la fontaine des Fleuves de Hittorff, place de la Concorde.
En arrière-plan, la chambre des députés. 8ᵉ arr.

La fontaine des Mers de Hittorff, place de la Concorde.
À l'arrière-plan, le ministère de la Marine, 8ᵉ arr.

La tour Eiffel vue de la fontaine des Fleuves, place de la Concorde, 8ᵉ arr.

Les colonnes d'éclairage rostrales
de la place de la Concorde,
l'Obélisque et la tour Eiffel. 8ᵉ arr.

La fontaine de Hittorff dédiée à la navigation fluviale,
place de la Concorde, 8ᵉ arr.

La fontaine de Hittorff dédiée à la navigation maritime.
Sur la droite, l'entrée du jardin des Tuileries. 8ᵉ arr.

Statues de bronze, tritons et néréides décorent la fontaine des Mers,
place de la Concorde, 8ᵉ arr.

Bassin de la fontaine des Fleuves, orné de divinités allégoriques,
place de la Concorde, 8ᵉ arr.

Place de la Concorde,
les fontaines de Hittorff
et l'Obélisque dans l'axe
de la rue Royale, 8ᵉ arr.

Le pont Alexandre-III et le Grand Palais, 8ᵉ arr.

Grande composition en cuivre martelé décorant le pont Alexandre-III, 8ᵉ arr.

A la pointe de l'Ile des Cygnes, le pont de Grenelle et la statue de la Liberté, 15ᵉ arr.

Vue sur la tour Eiffel à travers les fontaines des jardins du Trocadéro, 15ᵉ arr.

La tour Eiffel vue à travers une statue
des jardins du Trocadéro, 16ᵉ arr.

Le palais de Tokyo,
musée d'Art moderne
de la Ville de Paris, 16ᵉ arr.

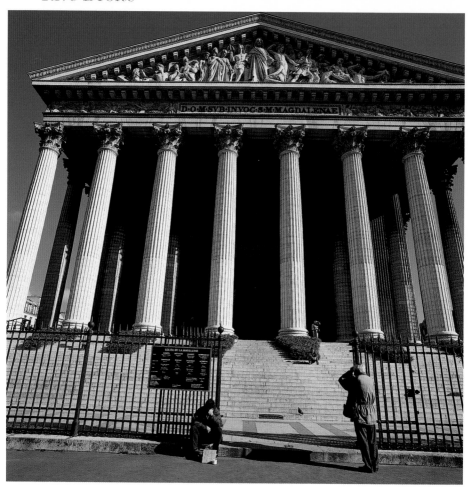

L'église Sainte-Marie-Madeleine, place de la Madeleine, 8ᵉ arr.

Un dimanche matin à l'église Sainte-Marie-Madeleine, 8ᵉ arr.

Le boulevard des Capucines, au loin la tour Eiffel, 9ᵉ arr.

Le boulevard des Capucines entre l'Opéra et la place de la Madeleine, 9ᵉ arr.

L'opéra Garnier sur la place de l'Opéra, 9ᵉ arr.

Sur le perron de l'Opéra, les arcades encadrent une série de groupes sculptés, 9ᵉ arr.

Le café de la Paix et la place de l'Opéra, 9ᵉ arr.

Statue vivante place Colette, 1ᵉʳ arr.

Café American Dream,
rue Daunou, 2ᵉ arr.

Badauds devant les vitrines de Noël du Printemps,
boulevard Haussmann, 9ᵉ arr.

Les vitrines de Noël de la Samaritaine,
rue de Rivoli, 1ᵉʳ arr.

Scène de rue avec les traditionnels
orgues de barbarie sur les Grands
Boulevards, 9ᵉ arr.

Le Louvre vu du jardin du Carroussel, 1er arr.

Le pavillon Sully et la petite Pyramide, musée du Louvre, 1er arr.

double page suivante

La Pyramide du Louvre
de l'architecte Ieoh Ming Pei, 1er arr.

La cour Napoléon, musée du Louvre, 1er arr.

La cour carrée, musée du Louvre, 1ᵉʳ arr.

La cour Napoléon, les Pyramides et l'aile Richelieu du musée du Louvre, 1ᵉʳ arr.

La statue de Louis XIV d'après Le Bernin,
musée du Louvre, 1ᵉʳ arr.

Bassins et jets d'eau entourent la Pyramide ;
au fond, l'arc de triomphe du Carrousel, 1ᵉʳ arr.

Petite et grande Pyramides inscrites
dans l'arche de l'aile Richelieu, en
venant de la place du palais Royal, 1ᵉʳ arr.

La grande Pyramide vue entre les arches de l'arc de triomphe du Carrousel, 1er arr.

double page précédente

L'arc de triomphe du Carrousel
et la cour Napoléon
vus du jardin du Carrousel, 1er arr.

L'arc de triomphe du Carrousel vers le jardin des Tuileries, 1er arr.

Le café Marly au Louvre, 1er arr.

Vue sur la cour Napoléon depuis le café Marly, musée du Louvre, 1er arr.

Façades du musée du Louvre vues de la cour Napoléon, 1er arr.

Façades du musée du Louvre côté quai du Louvre, 1er arr.

La cour Marly, musée du Louvre, protégée
par une grande verrière, sur laquelle
donnent les salles du café Marly, 1er arr.

La rue de la Paix et la colonne Vendôme vues de la place de l'Opéra, 1ᵉʳ et 2ᵉ arr.

double page précédente

La rive droite, du Louvre et du jardin des Tuileries
à Montmartre et au Sacré-Cœur,
vue de la tour Montparnasse.

Vision nocturne de la colonne Vendôme en venant de la place de l'Opéra, 1ᵉʳ et 2ᵉ arr.

La boutique Cartier, place Vendôme, 1er arr.

La colonne Vendôme
et le ministère de la Justice, 1er arr.

La place Vendôme, 1er arr.

Bentley devant l'hôtel Ritz, place Vendôme, 1er arr.

double page suivante
Café de la terrasse de Chez Georges,
restaurant du Centre Pompidou, 4e arr.

Les escalators panoramiques du Centre Pompidou,
architectes Renzo Piano et Gianfranco Franchini, 4ᵉ arr.

Vue spectaculaire sur les vieux quartiers de Paris
depuis de dernier étage du Centre Pompidou, 4ᵉ arr.

Parvis du Centre Pompidou, 4ᵉ arr.

La façade et les escalators
du Centre Pompidou, 4ᵉ arr.

L'architecture contemporaine
du Centre Georges Pompidou
domine le dédale des petites
rues du quartier, 4ᵉ arr.

L'église Saint-Eustache vue depuis les jardins du Forum des Halles, 1er arr.

La statue de Henri de Miller, L'Écoute, devant l'église Saint-Eustache, 1ᵉʳ arr.

Terrasse de café aux Halles, 1er arr.

Place du Châtelet,
la fontaine de la Victoire, 1er arr.

La fontaine des Innocents,
place Joachim-du-Bellay,
dans le quartier des Halles, 1er arr.

La place de l'Hôtel-de-Ville. Au fond, l'île de la Cité et Notre-Dame, 4ᵉ arr.

double page précédente

La rue des Barres et le chevet de l'église Saint-Gervais
dans le Marais, 4ᵉ arr.

Le pont d'Arcole et l'Hôtel de Ville, 4ᵉ arr.

La place de l'Hôtel-de-Ville, 4ᵉ arr.

Détails des toitures de l'Hôtel de Ville, 4ᵉ arr.

Salle de réception, Hôtel-de-Ville, 4ᵉ arr.

Le salon des Arcades,
Hôtel-de-Ville, 4ᵉ arr.

A la bonne renommée, boutique rue Vieille-du-Temple, 4ᵉ arr.

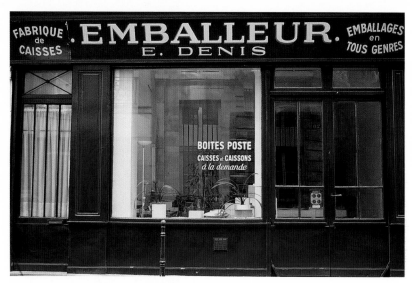

De nombreuses boutiques anciennes
animent les petites rues du Marais, 4ᵉ arr.

Ancienne vitrine d'une boucherie chevaline dans le Marais 4ᵉ arr.

double page suivante

Coiffeur rue de Rivoli 4ᵉ arr.

Café, rue des Lavandières-Sainte-Opportune, 1ᵉʳ arr.

Devanture nostalgique dans le Marais, 4ᵉ arr.

Hôtel de Châtillon,
rue Payenne,
dans le Marais, 4ᵉ arr.

L'hôtel de Sully, siège de la Caisse des Monuments historiques
et des sites, 4ᵉ arr.

La bibliothèque Forney dans l'hôtel de Sens, rue du Figuier, 4ᵉ arr.

La statue de la Renommée dans la cour d'honneur
de l'hôtel Carnavalet, musée Carnavalet, 3ᵉ arr.

Boutique du bijoutier Fouquet,
musée Carnavalet, 3ᵉ arr.

La chambre de Proust, musée Carnavalet, 3ᵉ arr.

L'escalier de Luynes et la statue de
Marie-Adélaïde de Savoie, duchesse
de Bourgogne, représentée en Diane
chasseresse, d'après Antoine Coysevox,
musée Carnavalet, 3ᵉ arr.

Un antiquaire sous les arcades de la place des Vosges 4ᵉ arr.

double page précédente

La place des Vosges 4ᵉ arr.

La statue équestre de Louis XIII,
square Richelieu,
place des Vosges, 4ᵉ arr.

LOUIS XIII

1610 · 1645

CETTE STATUE
OEUVRE DE DUPATY ET CORTOT
ELEVEE LE 4 NOVEMBRE 1829

Ancienne boulangerie dans le Marais, 4ᵉ arr.

Un café à la mode
dans le quartier
du Marais :
le café du Trésor,
4ᵉ arr.

Le café du Trésor, rue du Trésor 4ᵉ arr.

Café des Musées, rue de Turenne
non loin du musée Picasso, 4ᵉ arr.

Halle du Carreau du Temple, 4ᵉ arr.

L'église Saint-Germain-l'Auxerrois et le Louvre vus des toits de la Samaritaine, 1er arr.

double page précédente

Rue du Trésor, une impasse tranquille
ouvrant sur la rue Vieille-du-Temple 4e arr.

L'église Saint-Gervais,
le Centre Pompidou et le Sacré-Cœur
vus des quais de la Seine.

Montmartre, le square Willette, au pied du Sacré-Cœur, 18ᵉ arr.

double page précédente

La butte Montmartre
vu de la terrasse du café au dernier étage
de La Samaritaine, 1ᵉʳ arr.

Paris et la tour Montparnasse, vus du Sacré-Cœur, 18ᵉ arr.

Montmartre, rue Foyatier, 18ᵉ arr.

La nuit à Montmartre, à la lueur
des réverbères, 18ᵉ arr.

Les escaliers de la Butte,
rue Maurice-Utrillo, 18ᵉ arr.

Rue du Chevalier-de-la-Barre et le Sacré-Cœur, 18ᵉ arr.

La rue de l'Abreuvoir
et le Sacré-Cœur, 18ᵉ arr.

La rue Norvins monte vers la place du Tertre et le Sacré-Cœur, 18ᵉ arr.

double page précédente

Le Sacré-Cœur de Montmartre
vu du square d'Anvers, 18ᵉ arr.

Une ruelle du vieux Montmartre,
la rue Saint-Rustique, 18ᵉ arr.

Chorale devant le Sacré-Cœur, 18ᵉ arr.

Jour de la fête des vendanges à Montmartre, 18ᵉ arr.

double page suivante

La place du Tertre, 18ᵉ arr.

Le cimetière de Montmartre près de la place de Clichy, 18ᵉ arr.

La rue Caulaincourt surplombe le cimetière de Montmartre, 18ᵉ arr.

Montmartre, le vieux cabaret Au Lapin Agile, 18ᵉ arr.

Rue des Saules, carrefour avec la rue Saint-Vincent,
un des coins les plus pittoresques de Montmartre, 18ᵉ arr.

Boutique de brocanteur dans le quartier de Barbès, rue André-Del-Sarte, 18ᵉ arr.

Restaurant de la butte Montmartre, rue de l'Abreuvoir, 18ᵉ arr.

Graffitis et tag de Miss-Tic dans le 18e arr.

Station de métro Barbès-Rochechouart, 18e arr.

Le cirque Romanès,
passage Lathuille,
près de la place de Clichy, 17e arr.

La gare Saint-Lazare, 8ᵉ arr.

Trains de banlieue en gare de l'Est, 10ᵉ arr.

Les verrières de la gare de l'Est
vues de la rue d'Alsace, 10ᵉ arr.

Le café Charbon, rue Oberkampf, 11ᵉ arr.

Académie de billard de Clichy-Montmartre, 17ᵉ arr.

Antiquaires à Auteuil.

La vitrine du chapelier Motsch,
place de l'Alma, 7ᵉ arr.

L'un des marchés des Puces de Saint-Ouen, 18ᵉ arr.

Sous les arcades bordant les jardins du Palais Royal,
le restaurant Le Grand Véfour, 1ᵉʳ arr.

Décor fixé sous verre pour l'un
des plus beaux restaurants de Paris :
Le Grand Véfour, 1ᵉʳ arr.

Salle du Toupary, restaurant décoré par Hilton MacConnico, 1ᵉʳ arr.

La vue sur le Pont-Neuf et les quais
depuis le Toupary, au cinquième étage
de La Samaritaine, est spectaculaire, 1ᵉʳ arr.

La statue de Louis XIV, par Bosio, place des Victoires, 2ᵉ arr.

La rue d'Aboukir,
la place des Victoires et la Banque de France, 2ᵉ arr.

La place de la Bastille
vue des marches de l'Opéra, 12ᵉ arr.

Le bassin de l'Arsenal,
port de plaisance de Paris, 12ᵉ arr.

Le génie de la Bastille
vu de la rue du Faubourg-Saint-Antoine, 12ᵉ arr.

Le Triomphe de la République, par Jules Dalou, place de la Nation, 12ᵉ arr.

Jardin au cœur de la place de la Nation, 12ᵉ arr.

double page suivante

Immeubles cossus du 8ᵉ arrondissement,
en bordure du parc Monceau.

Le Paris de l'Art nouveau : la station de métro
Porte-Dauphine dessinée par Hector Guimard, 16ᵉ arr.

Hôtel de la famille Menier, construit par H. Parent, parc Monceau, 8ᵉ arr.

Quartier Montorgueil, 2ᵉ arr.

Façade dans le 2ᵉ arr.

Au Rocher de Cancale
Quartier Montorgueil, 2ᵉ arr.

RESTAUR
BRASSERIE DU PONT LOUIS PHILIPPE
RESTAURANT
CAFE
Louis-Philippe
Restaurant
Salle panoramique
RESERVATIONS
01.42.72.29.42
LIQUEURS DE LUXE

Restaurant dans le 16ᵉ arr.

Boutique rue Vieille-du-Temple, 4ᵉ arr.

double page précédente

Restaurant Le Pont-Louis-Philippe,
quai de l'Hôtel-de-Ville, 4ᵉ arr.

Quartier de Belleville, 20ᵉ arr.

La campagne à Paris, rue Irénée-Blanc, 20ᵉ arrondisssement.

Cour intérieure
de l'hôtel de Châtillon,
rue Payenne,
dans le Marais, 4ᵉ arr.

L'entrée dérobée de la maison de Balzac, rue Berton, 16ᵉ arr.

Passage Lhomme, entre la rue de Charonne et l'avenue Ledru-Rollin, 11ᵉ arr.

Cour du faubourg Saint-Antoine, 11ᵉ arr.

Cour de l'Étoile-d'Or, faubourg Saint-Antoine, 11ᵉ arr.

double page suivante

Passage fleuri dans le quartier de la Bastille, 11ᵉ arr.

Immeuble rue Raynouard, 16ᵉ arr.

Passage rue du Faubourg-Saint-Antoine, 11ᵉ arr.

Passerelle sur le canal de l'Ourcq, 19ᵉ arr.

Cour intérieure
près de la place de la République, 10ᵉ arr.

Villa de l'Ermitage, Ménilmontant, 20ᵉ arr.

Villa Castel, Ménilmontant, 20ᵉ arr.

La tombe de Guillaume Apollinaire,
cimetière du Père Lachaise, 20ᵉ arr.

Un véritable musée de sculptures funéraires
au cimetière du Père Lachaise, 20ᵉ arr.

Sur une colline boisée, le cimetière
du Père Lachaise est un lieu
de promenade, 20ᵉ arr.

Les tombes de La Fontaine et de Molière, cimetière du Père Lachaise, 20ᵉ arr.

Des milliers d'arbres ombragent le cimetière du Père Lachaise,
le plus vaste parc de la ville, 20ᵉ arr.

Cour de l'Ours, faubourg Saint-Antoine, 11ᵉ arr.

Vestiges du vieux Paris, Ménilmontant, 20ᵉ arr.
À gauche de la porte, un corps blanc
du peintre Jérôme Mesnager.

Passage Saint-Bernard dans la quartier de la Bastille, 11ᵉ arr.

Le marché de la place d'Aligre, 12ᵉ arr.

Brocante, square des Batignolles, 17ᵉ arr.

Boutique de mode, place du Marché-Saint-Honoré, 1er arr.

La maison de Nicolas Flamel (1407),
la plus vieille maison de Paris, rue de Montmorency, 3ᵉ arr.

La Flèche d'or, café 102, rue de Bagnolet, 20ᵉ arr.

Le marchand de soleils de la rue Oberkampf, 11ᵉ arr.

double page suivante

Noël à Paris sur les Champs-Élysées, 8ᵉ arr.

L'avenue Hoche et l'arc de triomphe vus de la grille du parc Monceau, 8ᵉ arr.

La place Charles-de-Gaulle (l'Étoile) et l'arc de triomphe, 8ᵉ arr.

Terrasse de café sur les Champs-Élysées, 8ᵉ arr.

L'arc de triomphe vu de l'avenue Mac-Mahon, 8ᵉ arr.

Le Fouquet's, sur l'avenue des Champs-Élysées, 8ᵉ arr.

Printemps devant le restaurant Ledoyen, Champs-Élysées, 8ᵉ arr.

Les Champs-Élysées, avenue triomphale,
montent en pente douce de la Concorde à l'Étoile, 8ᵉ arr.

La plus célèbre des avenues de Paris,
les Champs-Élysées, lieu consacré
des défilés et des célébrations. 8ᵉ arr.

Le quartier de la Défense et la Grande Arche,
non loin de la Seine et de l'île de Puteaux.

Promeneurs au pied de la Grande Arche, quartier de la Défense.

double page précédente

L'avenue Foch
et l'avenue de la Grande-Armée
vers les tours de la Défense, 8ᵉ arr.

Mobile de Calder
sur le parvis de la Grande Arche,
quartier de la Défense.

Le CNIT et la Grande Arche, quartier de la Défense au-delà du pont de Neuilly.

La Grande Arche de la Défense, de l'architecte danois Otto von Spreckelsen.

À l'extérieur de Paris mais dans l'axe de l'Étoile
et des Champs-Élysées, le quartier de la Défense.

Proche du musée de l'Automobile,
le dôme du cinéma du quartier de la Défense.

Le reflet de la Grande Arche sur une tour de la Défense.

Parvis de la Grande Arche de la Défense.

double page suivante

La Grande Arche,
troisième arc de triomphe du Grand Axe.

Les Passages

La statue d'Eurydice, galerie Colbert, 2ᵉ arr.

La grande rotonde de la galerie Colbert,
6, rue des Petits-Champs, 2ᵉ arr.

La galerie Colbert, près de la Bourse, 2ᵉ arr.

Le Grand Colbert, célèbre brasserie de la galerie Colbert, 2ᵉ arr.

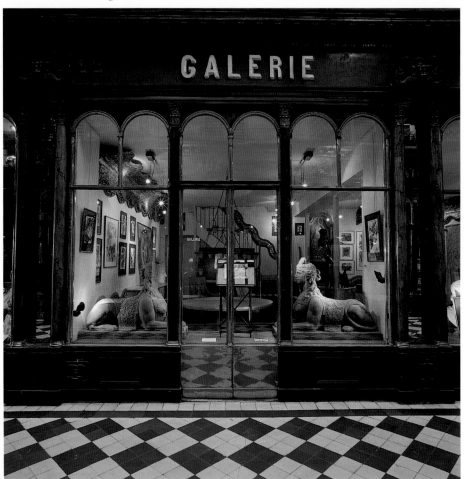

Galerie Véro-Dodat, 1ᵉʳ arr.

La galerie Véro-Dodat ouvre sur la rue
Jean-Jacques-Rousseau, 1ᵉʳ arr.

Luthier de la galerie Véro-Dodat, 1ᵉʳ arr.

Non loin du palais Royal, la galerie Véro-Dodat abrite de nombreux antiquaires, 1er arr.

Bistrot 1900, cour du Commerce-Saint-André,
près de l'Odéon, 6ᵉ arr.

Cour du Commerce-Saint-André
au croisement avec la cour de Rohan, 6ᵉ arr.

Cour du Commerce-Saint-André,
entre la rue Saint-André-des-Arts
et le boulevard Saint-Germain, 6ᵉ arr.

La salle rectangulaire précédant la petite rotonde de la galerie Vivienne, 2ᵉ arr.

double page précédente

Librairie de la galerie Vivienne
entre la rue des Petits-Champs
et la rue Vivienne, 2ᵉ arr.

Dans le très beau décor Empire de la
galerie Vivienne, un salon de thé
renommé : A priori-Thé, 2ᵉ arr.

Le passage Vendôme, entre la place de la République et la rue Béranger, 3ᵉ arr.

Le passage de Choiseul, entre la rue des Petits-Champs et la rue Saint-Augustin, 2ᵉ arr.

Le passage des Princes, entre le boulevard des Italiens et la rue de Richelieu, 2ᵉ arr.

Récemment rénové, le passage des Princes se trouve à proximité de l'Opéra, 2ᵉ arr.

double page suivante

Boutiques d'épices et restaurants indiens dans le passage
Brady entre la rue du Faubourg-Saint-Martin
et la rue du Faubourg-Saint-Denis, 10ᵉ arr.

La façade du célèbre graveur Stern
dans le passage des Panoramas, 2ᵉ arr.

Le passage des Panoramas entre la rue Saint-Marc
et le boulevard Montmartre, 2ᵉ arr.

Le passage Jouffroy
entre le boulevard Montmartre
et la rue de la Grange-Batelière, sur
lequel s'ouvre le musée Grévin, 9ᵉ arr.

Rive Gauche

Les bassins au pied de la tour Eiffel reflètent son architecture, 7e arr.

double page précédente

La tour Eiffel, le dôme des Invalides
et le quartier de la Défense.

Vue sur la tour Eiffel (7e arr.)
à travers les arbres
du jardin du Trocadéro (16e arr.).

Les ascenseurs de la tour Eiffel, 7ᵉ arr.

La tour Eiffel vue du Champ-de-Mars, 7e arr.

Manèges dans le parc du Champ-de-Mars, 7ᵉ arr.

Vue sur la tour Eiffel
depuis les manèges du jardin du Trocadéro, 16ᵉ arr.

La Femme au bain, statue du parc du Champ-de-Mars, 7ᵉ arr.

La tour Eiffel vue de la rue de l'Université, 7ᵉ arr.

double page suivante

Le dôme de l'église des Invalides (7ᵉ arr.)
vu du haut de la tour Montparnasse (14ᵉ arr.).

Cour intérieure dans le 7ᵉ arr.

Hôtel et dôme des Invalides, 7ᵉ arr.

Élégants bassins de forme elliptique, avenue de Breteuil, derrière les Invalides, 7ᵉ arr.

Le Penseur d'Auguste Rodin, bronze, S1304, dans le jardin du musée Rodin.
Au fond, le dôme des Invalides, 7ᵉ arr.

Étude de femme slave, marbre d'Auguste Rodin (S1036),
au musée Rodin, rue de Varenne, 7ᵉ arr.

Derrière *L'Âge d'airain*, bronze de Rodin (S. 986), les salles du musée Rodin donnent sur un très beau jardin ouvert au public. 7ᵉ arr.

Cérémonie militaire dans la cour des Invalides, 7ᵉ arr.

Colonnes de l'église du dôme des Invalides, 7ᵉ arr.

L'église du dôme des Invalides vue
depuis la cour d'honneur, 7ᵉ arr.

Façade de l'hôtel des Invalides vers l'Esplanade et la Seine, 7ᵉ arr.

Galerie intérieure de l'hôtel des Invalides, 7ᵉ arr.

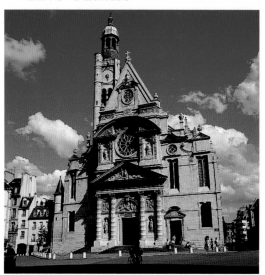

L'église Saint-Étienne-du-Mont,
place du Panthéon, 5ᵉ arr.

Voûtes de l'église Saint-Étienne-du-Mont, 5ᵉ arr.

Le seul jubé de Paris, celui de la nef
de l'église Saint-Étienne-du-Mont, 5ᵉ arr.

Hémicycle de l'Assemblée nationale, palais Bourbon, 7ᵉ arr.

Façade de l'Assemblée nationale et
ministère des Affaires étrangères, 7ᵉ arr.

Salle des pas perdus, salon de la Paix,
Assemblée nationale, 7ᵉ arr.

Salle des conférences
de l'Assemblée nationale, 7ᵉ arr.

Magnifique décor
pour les plafonds
de la bibliothèque de
l'Assemblée nationale,
palais Bourbon, 7ᵉ arr.

Un coin de lecture dans la bibliothèque de l'Assemblée nationale, 7ᵉ arr.

Détail du plafond de la bibliothèque de l'Assemblée nationale,
peint par Delacroix, 7ᵉ arr.

double page suivante

Façade du restaurant Le Procope,
rue de l'Ancienne-Comédie, 6ᵉ arr.

Terrasse d'un restaurant,
rue de l'Échaudé, 6ᵉ arr.

La maison où vécut Ernest Hemingway,
rue du Cardinal-Lemoine, 5ᵉ arr.

Terrasse du café Les deux Magots
et le clocher de Saint-Germain-des-Prés, 6ᵉ arr.

À l'angle de la rue Saint-Benoît et du boulevard Saint-Germain, le café de Flore, 6ᵉ arr.

Guéridon du café de Flore,
boulevard Saint-Germain, 6ᵉ arr.

Rue Saint-Benoît à Saint-Germain-des-Prés, 6ᵉ arr.

double page précédente

Fontaine Wallace sur le quai de Montebello, 5ᵉ arr.

La boulangerie Poujouran, rue Jean-Nicot, 7ᵉ arr.

Rue Tournefort, 5ᵉ arr.

La rue Maître-Albert, 5ᵉ arr.

Le dôme du Panthéon
vu de la rue de Bièvre, 5ᵉ arr.

Librairie Le Pont Traversé, devant les jardins du Luxembourg,
à l'angle de la rue Madame, 6ᵉ arr.

Intérieur de la librairie Le Pont Traversé,
spécialisée dans les livres de poésie anciens, 6ᵉ arr.

Les toits de l'Institut catholique de Paris, rue d'Assas.
Au fond, les clochers de Saint-Sulpice. 6ᵉ arr.

Fontaine de la place Saint-Sulpice, 6ᵉ arr.

Station de métro Saint-Michel, œuvre de Guimard,
au bas du boulevard Saint-Michel, 5ᵉ arr.

Rue de la Huchette,
Quartier Latin, 5ᵉ arr.

Le café Chez le pompier, quai de la Tournelle, 5ᵉ arr.

double page précédente

Rue de Bièvre avec un personnage
de Jérôme Mesnager, 5ᵉ arr.

Un café dans le quartier
de l'Odéon, 6ᵉ arr.

La salle du Livre d'Or, palais du Luxembourg, 6ᵉ arr.

double page précédente

Le palais et le jardin du Luxembourg (6ᵉ arr.),
la cathédrale Notre-Dame et l'île Saint-Louis (4ᵉ arr.),
vus du haut de la tour Montparnasse (14ᵉ arr.).

L'escalier d'honneur
conçu par Chalgrin,
palais du Luxembourg, 6ᵉ arr.

L'hémicycle du Sénat,
palais du Luxembourg, 6e arr.

La bibliothèque
du palais du Luxembourg, 6e arr.

La salle des conférences
du palais du Luxembourg, 6e arr.

La fontaine Edmond-Rostand, la rue Soufflot et le Panthéon
par un jour de grand froid, 5ᵉ arr.

La place de Furstemberg, 6ᵉ arr.

Les Arènes de Lutèce, 5ᵉ arr.

double page précédente

Le square René Le Gall
dans le quartier des Gobelins, 13ᵉ arr.

Le square Capitan, derrière les Arènes de Lutèce, 5ᵉ arr.

Le lycée Buffon, boulevard Pasteur, 15ᵉ arr.

La faculté de pharmacie près du jardin du Luxembourg, 5ᵉ arr.

Représentation de Neptune, rue du Cherche-Midi, 6ᵉ arr.

Façades dans le 5ᵉ arr.

double page suivante

Marché du livre d'occasion,
parc Georges-Brassens, 15ᵉ arr.

Marché du livre d'occasion, rue Brancion,
en bordure du parc Georges-Brassens, 15e arr.

Marché aux légumes, rue Mouffetard, 5e arr.

Animation quotidienne du marché
de la rue Mouffetard, 5e arr.

Café Parisien, rue d'Assas, 6ᵉ arr.

Maison de presse, rue Saint-Benoît, 6ᵉ arr.

Marché aux puces de Vanves, 14ᵉ arr.

Marché aux puces de Vanves, 14ᵉ arr.

Au sud de Paris, le marché aux puces
de Vanves rivalise avec celui du nord
de la ville à Saint-Ouen, 14ᵉ arr.

Fête du Nouvel An chinois dans le 13ᵉ arr.

Autel dédié au culte de Bouddah,
avenue de Choisy, 13ᵉ arr.

double page précédente

Le cinéma La Pagode,
rue de Babylone, 7ᵉ arr.

Fête du Nouvel An chinois dans le 13ᵉ arr.

Les tours de la Bibliothèque
nationale François-Mitterrand dans le 13ᵉ arr.

Le parvis de la Bibliothèque nationale ouvre
sur un jardin planté en contrebas, 13ᵉ arr.

Sur les quais de la Seine,
la Bibliothèque nationale,
architecte Dominique Perrault, 13ᵉ arr.

L'Institut du monde arabe, architecte Jean Nouvel, 5ᵉ arr.

La porte de l'Institut du monde arabe
ouvre sur le faubourg Saint-Germain, 5ᵉ arr.

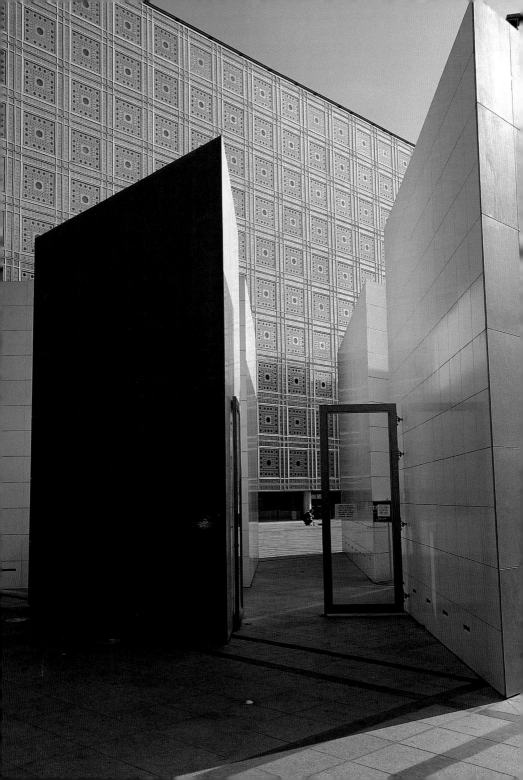

Les Jardins

Le jardin et le palais du Luxembourg (6ᵉ).
On aperçoit les façades du Louvre (1ᵉʳ arr.) et, au fond, le Sacré-Cœur (18ᵉ arr.).

double page précédente

Orangers, lauriers roses, grenadiers en caisse
ornent les jardins du Luxembourg, 6ᵉ arr.

Bassin du jardin du Luxembourg, au fond les clochers de Saint-Sulpice, 6ᵉ arr.

Le jardin du Luxembourg (6ᵉ arr.), au fond le dôme du Panthéon (5ᵉ arr.).

Des pelouses aux plates-bandes fleuries, dominées
par les frondaisons épaisses du jardin anglais
dans le jardin du Luxembourg, 6ᵉ arr.

Faune dansant du jardin du Luxembourg, 6ᵉ arr.

La fontaine Médicis, jardin du Luxembourg, 6ᵉ arr.

Terrasse accueillante sous les frondaisons du jardin du Luxembourg, 6ᵉ arr.

Peintre au jardin du Luxembourg, 6ᵉ arr.

Les palmiers dattiers du Luxembourg passent l'hiver dans l'orangerie du jardin, 6ᵉ arr.

Le talus couronné de balustes,
de statues et de vases de marbre
domine le parterre central
du jardin du Luxembourg, 6ᵉ arr.

Jardin du Luxembourg après dix jours de grand froid, 6ᵉ arr.

double page précédente

Les chaises du jardin du Luxembourg,
tout autour du bassin, attirent les promeneurs
dès les beaux jours.

Jardin du Luxembourg en hiver, 6ᵉ arr.

Parc de Bagatelle, dans le bois de Boulogne, 16ᵉ arr.

La floraison des tulipes est spectaculaire dans le parc de Bagatelle, 16ᵉ arr.

Parc à l'anglaise au cœur du bois
de Boulogne : Bagatelle, 16ᵉ arr.

La roseraie du parc de Bagatelle,
fleurie de juin à octobre, 16ᵉ arr.

Les allées du parc de Bagatelle,
lieu de promenade intéressant
en toute saison, 16ᵉ arr.

Le Jardin carré, ancienne école Polytechnique, 5ᵉ arr.

Le jardin de l'ancienne école Polytechnique, au cœur du quartier latin, 5ᵉ arr.

Le lac du parc des Buttes-Chaumont, 19ᵉ arr.

Une passerelle suspendue au-dessus
du lac mène à l'île formée de blocs de
rochers, parc des Buttes-Chaumont, 19ᵉ arr.

Havre de tranquillité au cœur d'un quartier populaire,
le parc des Buttes-Chaumont, 19ᵉ arr.

Le parc des Buttes-Chaumont est très
accidenté et tout en dénivelés, 19ᵉ arr.

Le jardin des Tuileries devant la terrasse des Feuillants le long de la rue de Rivoli. 1er arr.

double page précédente

Le jardin des Tuileries, rive droite,
et le musée d'Orsay, rive gauche. 1er arr.

Vue en perspective sur le
clocher de l'église
Sainte-Clotilde et
le dôme des Invalides
depuis le jardin des Tuileries.

Devant le bassin octogonal du jardin des Tuileries,
des pelouses brodées de buis, 1er arr.

page précédente

La tour Eiffel à travers les arbres du jardin des Tuileries, 1er arr.

Printemps au jardin des Tuileries, véritable jardin de sculptures
à la fois classiques et contemporaines, 1er arr.

Tables avec vue sur la rue de Rivoli depuis le jardin des Tuileries, 1er arr.

Un jardin pour les enfants,
le jardin des Tuileries, 1er arr.

Le jardin des Tuileries et la Grande Roue de la Concorde, 1er arr.

double page précédente

Le loueur de bateaux du jardin des Tuileries, 1er arr.

Le jardin du Carrousel et le Louvre, 1ᵉʳ arr.

Les arbres du bois de Boulogne, 16ᵉ arr.

Barques sur le lac du bois de Boulogne, 16ᵉ arr.

Les jardins du Palais-Royal, récemment restaurés, 1ᵉʳ arr.

Le jardin du Palais-Royal s'inscrit dans le cadre élégant
des galeries où s'abritent boutiques et cafés, 1ᵉʳ arr.

Cerisier du Japon au square des Batignolles, 17ᵉ arr.

Dans le nord de Paris,
le square des Batignolles, 17ᵉ arr.

Peintre au parc Monceau, 8ᵉ arr.

Deux musées bordent le parc Monceau : le musée Nissim de Camordo
et le musée Cernushi, 8ᵉ arr.

Jardin à l'anglaise dans le parc Monceau, au cœur d'un quartier élégant, 8ᵉ arr.

Les colonnades de la Naumachie se reflètent
dans le bassin du parc Monceau, 8ᵉ arr.

Le parc de Belleville, 20ᵉ arr.

Du haut du parc de Belleville,
au bout de la rue des Envierges,
la vue sur Paris est spectaculaire, 20ᵉ arr.

Le jardin des Plantes et le Museum national d'histoire naturelle, 5ᵉ arr.

double page précédente

Une des deux majestueuses allées de platanes
du jardin des Plantes, 5ᵉ arr.

Les amoureux des plantes
apprécient le cours des saisons
au jardin des Plantes, 5ᵉ arr.

Le jardin des Plantes s'ouvre sur les quais de la Seine, 5ᵉ arr.

Serre des cactus, jardin des Plantes, 5ᵉ arr.

Serre exotique, jardin des Plantes, 5ᵉ arr.

Le grand jardin du quartier du Marais : la place des Vosges, 4ᵉ arr.

double page précédente

Fontaine dans le jardin de la place des Vosges, 4ᵉ arr.

La place des Vosges, vaste place carrée bordée de pavillons revêtus de fausses briques, 4ᵉ arr.

double page suivante

Passerelle dans les jardins de Bercy
devant la Maison du Lac, lieu d'exposition, 12ᵉ arr.

La Maison du Jardinage dans le jardin de Bercy, 12ᵉ arr.

Pavillon de méditation, de style oriental, dans le jardin de Bercy, 12ᵉ arr.

Le parc de Bercy, à l'est de la ville, est le plus contemporain de Paris, 12ᵉ arr.

Les jets d'eau du parc André-Citroën, 15ᵉ arr.

page précédente

Le parc André-Citroën,
sur les quais de la Seine,
dû au paysagiste Gilles Clément, 15ᵉ arr.

Le ballon captif du parc André-Citroën
offre une très belle vue sur Paris, 15ᵉ arr.

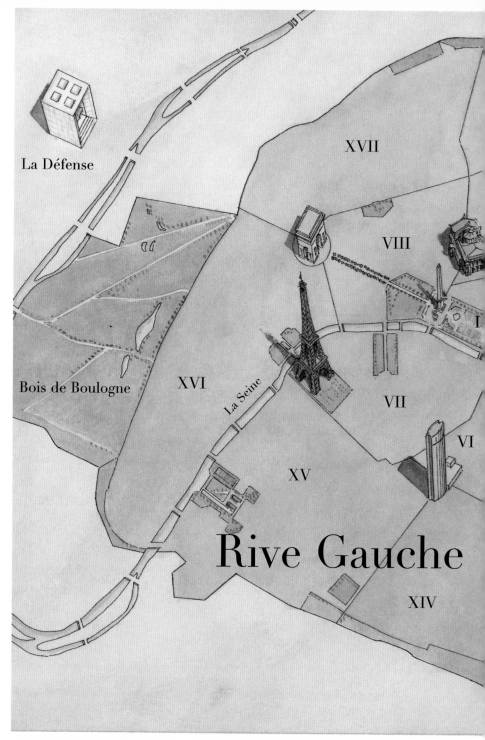

La Défense

XVII

VIII

I

Bois de Boulogne

XVI

La Seine

VII

XV

VI

Rive Gauche

XIV

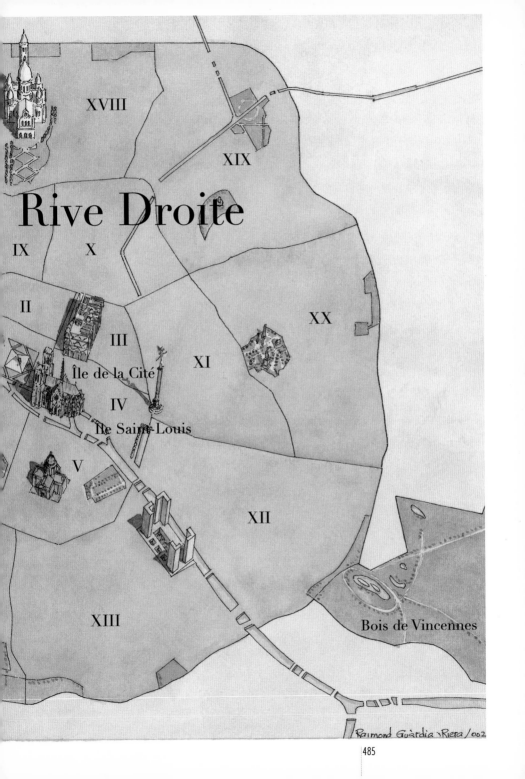

XVIII

XIX

Rive Droite

IX   X

II

III

Île de la Cité

XI

XX

IV

Île Saint-Louis

V

XII

XIII

Bois de Vincennes

Raimond Guàrdia i Riera / 002

Légendes des photos hors texte

Couverture,
la tour Eiffel vue de la passerelle Debilly, 7ᵉ arr.

4ᵉ de couverture,
la rue de Rennes, Saint-Germain-des-Prés et le Louvre
vus de nuit depuis la tour Montparnasse.

Page 4,
en haut : la place de l'Hôtel de Ville, 4ᵉ arr.
au milieu : la cathédrale Notre-Dame vue du pont de la Tournelle, 4ᵉ arr.
en bas : l'arc de triomphe sur la place de l'Étoile.

Page 5,
en haut : la librairie de la galerie Vivienne, 2ᵉ arr.
au milieu : le jardin de l'Intendant et le dôme des Invalides, 7ᵉ arr.
en bas : vieux platane du parc Monceau, 8ᵉ arr.

Pages 12-13,
le clocher de Saint-Germain-des-Prés, le dôme de
l'Institut de France et le palais du Louvre vus depuis la rive gauche.

Page 14,
à gauche : péniche au Pont-Neuf, 1ᵉʳ arr.
au milieu : tombée du jour au Vert-Galant, sur l'île de la Cité, 1ᵉʳ arr.
à droite : lumières sur la Seine à hauteur du quai d'Orléans, 4ᵉ arr.

Page 15,
en haut : le square du Vert-Galant à la pointe de l'île de la Cité, 1ᵉʳ arr.
à gauche : trafic fluvial sur la Seine.
au milieu : reflets sur la Seine des maisons du quai Saint-Michel, 5ᵉ arr.
à droite : la Seine au pont des Arts, 1ᵉʳ arr.

Page 110,
à gauche : le dôme du cinéma dans le quartier de la Défense.
au milieu : L'Écoute, sculpture de Henri de Miller
devant l'église Saint-Eustache, 1ᵉʳ arr.
à droite : terrasse du café Le Fouquet's sur les Champs-Élysées, 8ᵉ arr.

Crédits photographiques
pages 408-409 © Bibliothèque nationale de France,
Dominique Perrault, architecte/Adagp, Paris 2003
pages 410-411 L'Institut du monde arabe par Jean Nouvel,
Architecture Studio, Gilbert Szelenes, Jean-François Galmiche et Pierre Sorria
© Jean Nouvel, Architecture Studio, Gilbert Szelenes/Adagp, Paris 2003

Direction éditoriale : Ghislaine Bavoillot
Direction artistique : Antoine du Payrat
Responsable d'édition : Nathalie Démoulin
Conception graphique : Florence Lautié
Fabrication : Hervé Bienvault et Murielle Vaux
Carte : Raimond Guardia
Photogravure : Penez Édition, Lille
Couverture : Studio Flammarion

FT0871
ISBN : 2082008711
Dépôt légal : février 2003

© Flammarion, 2003

Imprimé en Italie par Canale

Page 111,
en haut : détail d'une des fontaines de Hittorff, place de la Concorde, 8ᵉ arr.
à gauche : la cour de la Victoire, musée Carnavalet, 3ᵉ arr.
au milieu : la station de métro de la place des Abbesses,
dessinée par Guimard, 17ᵉ arr.
à droite : détail architectural du centre Pompidou, 4ᵉ arr.

Page 302,
à gauche : enseigne, cour du Commerce-Saint-André, 6ᵉ arr.
au milieu : la galerie Vivienne et son décor Empire, 2ᵉ arr.
à droite : la galerie Véro-Dodat, 1ᵉʳ arr.

Page 303,
en haut : le passage des Princes, récemment restauré, 2ᵉ arr.
à gauche : vue depuis la rotonde de la galerie Colbert, 2ᵉ arr.
au milieu : les arcades du passage des Panoramas, 2ᵉ arr.
à droite : verrière de la galerie Vivienne, 2ᵉ arr.

Page 326,
à gauche : les diaphrames de l'Institut du monde arabe, 5ᵉ arr.
au milieu : façades en bordure du parc Georges-Brassens, 15ᵉ arr.
à droite : le jardin de l'Intendant sur l'avenue de Tourville, 7ᵉ arr.

Page 327,
en haut : la fontaine Cuvier de Vigouroux
à l'angle de la rue Cuvier et de la rue Linné, 5ᵉ arr.
à gauche : table en terrasse du Café Parisien, rue d'Assas, 6ᵉ arr.
au milieu : la rue de Bièvre, 5ᵉ arr.
à droite : détail de la fontaine de la place Saint-Sulpice, 6ᵉ arr.

Page 412,
à gauche : les chaises du jardin des Tuileries, 1ᵉʳ arr.
au milieu : promeneurs dans le jardin de la place des Vosges, 4ᵉ arr.
à droite : les parterres du jardin des Tuileries, 1ᵉʳ arr.

Page 413,
en haut : des statues jalonnent les allées du jardin des Tuileries, 1ᵉʳ arr.
à gauche : le jardin des Tuileries au lever du jour, 1ᵉʳ arr.
au milieu : les escaliers du square Capitan, 5ᵉ arr.
à droite : les colonnades de la Naumachie au parc Monceau, 8ᵉ arr.